Ronfler comme un sonneur

Marc Levy

Florent Bégu

hachette JEUNESSE

I l y a très longtemps…

Encore plus longtemps que cela…

Plus longtemps encore…

Voilà, nous y sommes !

Combien comptes-tu d'oiseaux bleus sur cette page ?

Les habitants d'un tout petit village avaient un énorme problème :
le matin, ils n'arrivaient pas à se réveiller.
Il faut dire qu'à cette époque, le réveille-matin n'avait pas été inventé.

En fait, on ne savait jamais vraiment l'heure qu'il était.
Les enfants arrivaient n'importe quand à l'école
et leurs parents en retard à leur travail.
Les villageois couraient pour rattraper le temps perdu
et ils étaient épuisés.

Un intrus s'est glissé dans l'image. Lequel ?

Dans ce village, il y avait un beau clocher.

Un jour, la petite Cléa eut une idée.

Elle alla voir le maître d'école et lui dit :

« Si quelqu'un sonnait la cloche quand le soleil se lève,

son bruit nous réveillerait tous. »

Le maître réfléchit et trouva que c'était une très bonne idée.

Le maître courut en parler au maire
qui courut en parler au jardinier du village.
« Ça vous dirait de sonner la cloche ? lui demanda-t-il.
– Si cela vous fait plaisir, pourquoi pas ?
– Non, je veux dire tous les matins.
De cette façon tout le monde se réveillerait à l'heure.
– D'accord, mais à quelle heure ?
– Eh bien, disons quand le soleil se lève. »
Le jardinier accepta.

Trouve les 5 différences sur la tenue de monsieur le maire.

Le soir, le jardinier installa une chaise dans le clocher
et y veilla toute la nuit pour ne pas manquer
le moment où le soleil se lèverait.

Heureusement un hibou lui tenait compagnie
et pour rester éveillé, le jardinier lui raconta
plein d'histoires qui commençaient toujours
par « Il était une fois… ».

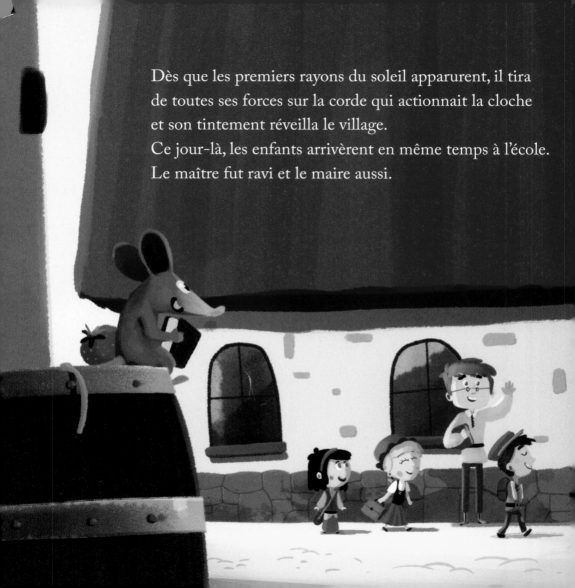

Dès que les premiers rayons du soleil apparurent, il tira
de toutes ses forces sur la corde qui actionnait la cloche
et son tintement réveilla le village.
Ce jour-là, les enfants arrivèrent en même temps à l'école.
Le maître fut ravi et le maire aussi.

DING DONG DING DONG

ECOLE

Trouve un nid,
une cigogne, une clé
et une fraise.

Le jardinier, lui, était bien fatigué.
Il piqua du nez et s'endormit. Il se mit alors à ronfler.
Et comme il se trouvait tout en haut du clocher,
son ronflement se répandit dans le village.
Chacun se demandait d'où provenait cet étrange grondement.

Plus tard, vers midi, l'estomac du jardinier se mit
à gargouiller. Comme il n'avait pas envie
de déjeuner tout seul, il eut l'idée de sonner la cloche.

Puis il alla s'installer au pied du clocher et mangea, car il avait très faim.
Les gens accoururent sur la place et voyant qu'il déjeunait,
tout le monde fit comme lui.

Combien comptes-tu de baguettes de pain ?

Après ce bon repas, le jardinier se rendormit et se mit à ronfler.
À ronfler très fort.
Encore plus fort.
Bien plus fort encore… Voilà, comme ça !

Alors chacun comprit d'où provenait cet étrange grondement.
Le jardinier ronflait si fort que cela fit bien rigoler les enfants.

RONNNN...PICHHHH...

RONNNN...PICHHHH...

RONNN...PICHHHH...

Le soleil déclinait dans le ciel, alors le jardinier sonna encore la cloche.
Les enfants rentrèrent de l'école et les parents de leur travail.
Pour la première fois, la journée des villageois avait été bien organisée.
Et tout le monde alla féliciter Cléa pour son idée.

Deux papillons sont identiques. Lesquels ?

Le maire nomma officiellement le jardinier « Sonneur de cloche ».
Grâce à lui, désormais, les villageois se lèveraient et se coucheraient
à l'heure et plus personne ne serait fatigué, sauf…
lui qui veillait toute la nuit avec son ami le hibou.

Le matin, dès que les gens partaient travailler,
le sonneur s'endormait profondément et il ronflait si fort,
si fort que même le hibou ne trouvait plus le sommeil.

On entendait son ronflement dans tout le village
et cela faisait beaucoup rire les enfants. Les grands aussi.
Depuis ce jour, quand quelqu'un ronfle fort,
on dit de lui qu'il ronfle comme un sonneur.
Et maintenant, tu sais pourquoi.

Solutions

Jeu n° 1

Il y a 5 oiseaux bleus.

Jeu n° 2

L'intrus est l'éléphant.

Jeu n° 3

Les 5 différences.

Jeu n° 4

Le nid, la cigogne, la clé et la fraise.

Jeu n° 5

8 baguettes de pain.

Jeu n° 6

Les 2 papillons identiques.

Loi n° 49.956 du 16 juillet 1949 sur les publications destinées à la jeunesse.
© Hachette Livre, 2017 pour les illustrations © Marc Levy, 2017 pour les textes
Publié par The Marketing Store Worldwide sous licence Hachette Livre. – Les marques suivantes
sont la propriété exclusive de McDonald's Corporation et affiliées : Happy Meal, logo Golden Arches
Édition exclusive The Marketing Store Worldwide pour McDonald's – ISBN : 979-10-94132-34-0
N° d'éditeur : 979-10-94132 – Imprimé en Europe par TBB, a. s. – Havi Global Solutions
Europe GmbH, 47 059 Duisburg, Allemagne – Dépôt légal : mars 2017 – Dès 3 ans – Lot : 128287/23

MIXTE
Issu de sources
responsables
FSC® C022120